KB103260

불온의 미학

발　행 | 2023년 11월 29일
저　자 | 정휘서
펴낸이 | 한건희
펴낸곳 | 주식회사 부크크
출판사등록 | 2014.07.15.(제2014-16호)
주　소 | 서울특별시 금천구 가산디지털1로 119 SK트윈타워 A동 305호
전　화 | 1670-8316
이메일 | info@bookk.co.kr

ISBN | 979-11-410-5582-0

불온의 미학

정휘서 지음

목차

針

아홉수는 언제나 불안정하다

우리는 두 번째 아홉수를 맞이하며
도래하는 한 연대의 끝을 준비했다

열댓의 끝물에 맺혀 있는 사람으로서
고개를 숙인 자들도, 이르게 투신한 자들도 있다

푹 젖어 꺼진 날개라고 날개가 아닌 것은 아니다
저마다의 시계에는 규정된 초침의 속도가 없기에

찬연한 경애와 종내 비상하는 청춘에
모두가 째깍대며 유려한 눈물을 흘릴 것이다

축구

나는 누군가의 가장 사랑하는 이가 되고 싶었다

때론 겨우 불어넣는 숨이
당신이 찾아낸 가장 아름다운 시간의 하늘이

혹은 조잡하게 엮어낸 문장 사이로
겨우 눈에 띈 들뜬 활자 중 하나가 되고 싶었다

그렇게 믿어 본 적도 없는 영원에
수명이 다한 나를 기어이 태워 넣었다

묵음

서늘한 여름의 순간을 모두 박제해 둔 것 같았다

느리게 활강하는 은하수나
혈관에 흐르는 미약한 병열 또한
청춘의 부속물이라 여기던 죽은 시절들을 아직도
꺼내 본다

부르튼 손으로 내리 쓸 수는 있지만
결코 발음할 수 없는 그 단어는
매미가 울던 황혼녘에 모두 휘발했다

한여름 부서지는 햇살의 향기가 나던 애는
그때 그 시절과 달라진 것 하나 없이 실존한다

오늘도 여전히 청춘을 필사하지만
그 음절들을 소리 내 발음할 수는 없다

파랑의 궤변

우리가 쥔 붓으로 휘갈긴 언어에
청춘이라는 이름을 붙이고
푸른색을 덧칠하며 가장 뜨거운 색이라 외치던 때

어둠이 나리고 색채가 상실된 세상에
결국에 둘만 덩그러니 남는다

언젠가 무채색의 날들도 청춘이라면서
회백을 옹호하던 궤변이 떠오른다

그의 옷깃에서는 눌러붙은 니코틴 향이 났고
마른 풀이 타던 잔흔이 있었다

플래닛 신드롬

바야흐로 우리의 애사는
방대 수억 광년 펼쳐진 별무리처럼 흐른다

이는 고작 수년으로 깨어지지 않으며

별자리로 이어진 심장은 언제나 붉을 것
운율로 풀어진 은유적 사랑은
그 활자들에 역력히 새겨져 있으며

영원하지 못할 것에 그 애를 맹세했던 것은

그 어떤 세월의 풍파에도 뒤지지 않을
푸르지 못한 그 청춘을 다짐하는 옹졸함이었다

∞

천년을 살자던 우리의 언어는 파도에 부서지고
미처 타개치 못한 불순물들은
바다처럼 담백하게 가슴에 묻힌다

나는 한여름에도 휘발해 버릴 것 같던
한낱 열기가 아쉬워 주먹을 쥐었고

생전 가장 사랑하던 시의 구절과
수신인 불명의 편지 몇 통이 유품의 전부였는데도

한 문장만을 잡고 완성하는 글처럼
겨우 사는 삶과 하는 사랑도
보잘것없는 단 한 번을 위해 계속되는 것이라고…

네가그린은하수는공허로흐르고

사람은 꼭 물에서만 익사하는 것은 아니다

작게 깨어진 기억의 조각이나
형용할 수 없는 추상에도
정체된 흐름 속에서 헤엄치는 이들이 있다

유약하다
힘을 주어 쥐면 깨어질 것 같았다

그럼에도 과분한 부정들을
기꺼이 그러안는다
공허와 심연과 불안을 품고서
잔뜩 옹송그린다

그 모든 것들을 쉬이 놓지 않는 팔에는
셀 수 없는 생채기가 있다

병열로 달궈진 갈퀴로 점철된 무엇과
흑색 해안을 넘어 별을 좇는 사람들

녹슨 칼날로 세운 울타리와
그걸 넘으려는 이들

그리고 결핍된 다정함에서 나오는 싸구려 낭만에
썩어 들어가는 이들이 있다

사람은 꼭 물에서만 익사하는 것은 아니다
당연하겠지만 나도 그렇다

영원의 문턱에서

함구할 수밖에 없던 모노톤의 회화는
명일의 힐난을 업으며 자란다

채 가시지 않은 여명을 붙잡고
아무렇지도 않게 기약한 영원을
생멸의 순리 속에 파묻고 죽었다

원망할 수 있는 이도
감히 내지를 칼로 찢어 놓을 이도 없다

벽에 걸린 중세의 화폭은
가만히 나를 내려다보다 이내 눈을 돌린다

愛

사랑이 뭔데요

부질없는 걸 유려한 칼날로 심장에 새겼으면서 자
꾸만 되짚는 그거요 싸구려 몽상도 사치라 차마
가을을 꿈꾸지 못해 내내 장마철을 살았던 우리를
이르는 말이었나요 염하에 내리는 알싸한 빗물 속
을 우산도 쓰지 않은 채로 거닐자는 종용을 거절
하지 못한 것이 사랑이었나 그것도 아니라면 숱한
무선 이어폰들 속에서도 버스 오른편에 앉은 그
애는 왼편 유선 이어폰을 내밀었고 거기서 흘러나
오는 노래는 구십 년도 정도 되는 것 같은 요상한
가사와 선율의 재즈팝이었는데 이게 사랑인가요

금잔화

최초의 여름은 당신으로부터 시작되었을 것이다
나의 단언은 천년을 살다 멸하고
공허를 느물게 가르는 구름에 당신을 실을 것

지극한 청춘에 대한 책장은
당신 이후의 페이지는 존재하지 않았기에

민들레 한 송이를 죽은 심장에 새기고
유일한 여름은 당신이었노라 우겨 본다

섭씨 삼십 도를 웃도는 계절도
당신의 결여로 여름이라 불리지 못했으니

7×13

무저갱이 양명을 거두어들인다거나
모래사장이 파도를 구계한다는 둥의 궤계가 있다

그럼에도 직관적 꿈海에 선척을 띄우고
잿빛 액체 군집에 사랑을 맹세하던 그 신열이

색유리에 부딪혀 나온 빛줄기에 홍혈이 맺힌 눈을
꿈뻑이면서
음성마저 구식인 告解의 가집을 낭송한다

시인이 될까 묻던 구일의 날을
몇 장 넘겨진 괘력과
그 고해에 함께 묻고 묻었다

정말 그뿐이다

청춘의 음가

왜, 그런 것이 있다. 비가역적이고 불순물 가득 긴
말 같은 것. 예를 들면 그 애에게서는 한여름의 내
음이 풍겼고, 입꼬리가 호선을 그릴 때마다 햇살이
잔뜩 무너져 내리는 소리가 났다, 같은 것. 치사량
수준 이상으로 낭만적인 말들은 가끔 내 목을 옥
쥔 것 같기도 했지만, 그 말이 조른 것이 내 목뿐
만이 아니라는 것을 알게 된 건 수 년 뒤였다.

여름 이퀄 그 애였기에 내 일 년 루틴에 여름은
이제 암묵적으로 생략된 계절이다. 유독 더위를 많
이 타는 체질임에도 불구하고 구태여 긴소매를 찾
아 입었다. 하늘의 채도를 인지하지 않으려 애썼으
며 따가운 햇빛과 녹線이 가득해도 초점을 두지
않으려고 했다.

눈에 별을 박아 넣으려 자신을 유린했으나
지금은 그렇지 않다는 것이

내 사랑은 죽었다
나는 그렇게 죽은 사랑을 했다

Fish in the Pool

부당한 음절들을 수신하고
본인이 상기당하는 데에 있어서

사랑이란 불분명한 명도의 상념 한 폭에 잠식되는
것이겠지요

후두부로 고깝게 뱉어진 낱말의 나열은
파훼되어야 마땅할 청춘을 되살리는 과분한 처사
임이 분명한데요

철을 맞은 팔레놉시스 향내가 짙어질수록
더불어 시려 오는 코 끝에 감사할 따름입니다

1999

그때는 몇 년도? 트리플 세븐이 아니라 트리플 나인이었던 년도에 복고풍 레트로의 요상한 조합. 맞잡은 녹슨 손은 청춘과 엮어 겸명했고 사실 치솟자도 미치지 않았던 그때 내리 적은 낭만 서사의 잉크는 염분기 가득한 액체였다. 인지할 수 없을 정도로 번져 버린 활자의 1999. 능동적 도태와 훈풍 속에서 적당히 짜맞춰진 체온 속 스치던 살덩이에 바쳤던 코발트 빛 시간. 단편적 기억의 클리셰는 알코올 속에서 용해되었고 함께 녹여 버린 이성. 파훼에 이른 낭만의 성애… 이 모든 것들의 집합체였던 그 애는 밑도 끝도 없는 황혼에, 땅거미 가득 내린 어스름 속 서리, 그리고 풋내기 사랑…

녹슨 손을 애써 모아 철가루 그득히 털어내며 목이 메이도록 청명한 하늘에 대고 후두에 붉은 혈이 맺힐 때가지 외치기. 연한 목구멍이 제 기능을 잃기 직전 꼴딱 삼키는 침. 입꼬리가 호선을 그릴 때 저절로 접히던 눈매에 소금물을 가득 매달곤 열망의 말이 향하던 신을 도리어 원망하기. 두서없이 떠오르는 명성 좀 떨쳤던 사람들의 이름들 내뱉기.

낡아 빠진 변두리의 사람들은 언제나 배부른 소리를 일삼았지만, 실상은 남겨진 사랑 한 조각 없이 척박했다. 그들과 그들 안에 포함된 나는 왜곡된 교리를 따랐다. 사람은 사랑을 죽였고 사람에게 죽은 사랑은 무채색의 형태로 언제나 시야 밖에 위치했다는 구절을 믿었다.

몰락하는 곡선 위에 잔존하는 혀 끝에 맴도는 음성들에 목숨 걸기. 아득해지는 정신을 붙잡고 우리가 추구했던 것들과 기꺼이 좇았던 잔흔들을 노려보기. 단색조로 차려진 하늘에 대고 공유하지 못한 호흡 마저 내뱉기.

靑春 1

사랑은 뭐고
또 사람은 뭐길래

조각난 것들에 대해
얼마나 깊은 고찰을 했기에 청춘이라 불렸는지

찌는 여름에도 늘상 서늘하던 그 체온과
유리창으로 줄줄 새던 햇빛의 열기를 기억한다

유약한 우리는 푸른 봄에
어느 때보다 파랬던 여름을 대입했다

언제나 그랬듯
두 음절을 읊자 입천장을 다쳤다

靑春 2

창밖 목련이 피었다

몽중의 황혼 시대는 짧디짧은 한철이었고 개화를
깨달을 시기는 지금뿐이다 곰팡이가 지도 한 폭을
구현해 둔 천장을 맞이하는 아침과 사륜구동 승용
차들의 바퀴와 눈이 마주치는 네모난 유리창의 동
떨어진 메타폴리스

바람에 흩어지며 추락하는 목련잎이 눈높이에 있
었다 우리 모두 찌는듯한 여름에 머물러 있는 사
람으로서 불시에 청춘과 사랑을 동시에 찾기 시작
했는데, 이는 거세지 않은 격랑에도 쓸려가는 하잘
것없는 부유물과도 같은 것으로…

병약한 신열로 맹세했던 사랑을 기억하니
꺼질 줄 모르고 타오르는 향연香煙에 네 심장을
내맡긴 지도 벌써 몇 년이니

추락계시록

내 손가락은 파아란 나뭇가지들이고

여명에 비친 내가 더 이상 내가 아니게 된 건
언제부터였을까
곱아드는 나뭇가지들로 헤아려 본다

황혼의 세기와 반쯤 잡아먹힌 달
되바라진 청춘과 빛바랜 괘념
천구백 년대 쏟아지는 요상한 음악들과
그 모든 간극을 가르는 족적에

무언가에 비친 내가 이리도 초라해 보여
다만 그 수면을 기억처럼 더듬는다

애정의 활주로

답지 않게 조목조목 따졌던 애정의 경중은
여태껏 녹여 왔던 감정에 대한 명분이 되고

가볍지도 무겁지도 않을 고딕들을 고르며
유배된 감정들에 대한 서평은 후회로 마감된다

수면 아래 병치된 치부들은 지극히 관조적이며
그 물결에 패하지 않을 수 없다

실조된 사고로 음절을 수없이 골라 뱉어야 한다
그것은 내가 과거에 잔류하는 사람이라 그렇다

갈구한 애정은 채홍의 소유라
몸을 돌리면 흩어지다 못해 사라지는 것이다

난춘

모 병원 중환자실에는 봄이 한 철 일찍 도래했다
302호의 그녀는 12월의 봄에 산다
눈이 나리는 봄에 산다

바람 지난 자리에 남겨진 벚꽃잎들 대신
날이 선 칼날 지난 자리에 머리오리가 추락한다

봄비를 시큼한 링거액으로 만끽했다
땅에 스며들듯 그것은 혈관에 핑글핑글 돈다

가쁜 숨이 겨우 붙어 있는 것에 감사치 못하고
그녀는 가시 돋힌 봄바람을 겨우 폐부에 담는다

그녀는 봄이 한철이라는 것도 모르고
그렇게, 또 살아간다

不可抗力

시퍼렇게 체한 빈 하늘을 등에 업고
구사할 수 없는 형용으로 사랑을 읊곤 했다

감당치 못할 언어의 무게에 짓눌리다가도
감당치 못할 음성의 언어에 데이다가도
고향을 떠난 연어가 되어 결국 불모지로 돌아온다

골편들이 살에 섞여 들어갈 때까지 눌리다
끝끝내 미련한 화상들을 다시금 남긴다

사랑을 종용하는 이들은 정말 사랑을 이뤄냈을까
그들은 서로 손을 맞잡을 때
손 끝에 위치하는 심장박동을 알고 있을까

여전히 난해하고 쨍한 두 음절의 감정은
여전히 활자의 형태로 존재하는 사랑은
가슴 속에 붉게 응어리진 것을 좇을 수밖에 없게
만드는 것이었다

프리즘

뺨에 아가미 하나 없는 나는
그 하늘 속에서 끝없이 익사했다

유배된 곳 엷게 빛나는 별에서
언제인지도 모를 구시대의 낭만을 찾고서

어떤 형용으로도 대변 불가능한 푸르름을 곱씹다
결국 파랑을 짓이긴 그 창공에 짓눌렸다

너는 격랑에 휘말리지 않는 것만으로도
미약한 추진력을 되려 반증했다

다만 그 속에서 무엇을 건져내어 서 있을지
끊임없이 고뇌하고 또 고뇌했을 뿐

우리가 어항에 담긴 채로 얕은 숨을 쉬며
바랐던 미래는 그리 희망찬 것이 아니었을 텐데도

그 작은 입술로 긍정을 줄줄 읊으면
너는 다 괜찮아질 줄로만 알았는지

몇 번이고 다시 돌아오는 계절과
그 속에 녹아든 우리를 뇌까리며 눈물을 흘렸다

Blue is the warmest color

여름에 드리우는 그림자는
바다보다도 훨씬 푸르렀다

햇빛을 가려 태어난 것이라고는
감히 상상할 수 없을 정도로

가장 뜨거운 계절에 맞이하는 것들과
싱그러운 파랑이 깃든 것들을 얼마나 사랑하는지

그리고 그 중심에 버티고 선 너에 대해
평생 내뱉을 수 없는 물기 가득한 언어들만이
입 안에서 쏩쓸하게 맴도는 것을 느낄 수 있었다

한 사람만을 위해 믿게 되는 영원만큼
아름다운 것이 또 어디 있겠어…

必然

암전하는 시야 사이에 남은 최후의 잔상은
가만히 눈을 맞추다 사그라들었다

내가 사랑했던 모든 것은
끊임없이 귓가에 불어넣는 이명과
울렁이는 심첨박동과 비슷한 것으로
안에서 고이다가 추락하기를 반복했다

살갗에 맺히는 습기로 새 계절의 도래를 인지하듯
추락하는 생명으로 무언갈 알아채지 못하는 때는

나이를 두 손으로 꼽을 수 있었던
땅바닥에 떨어진 사탕을 보며 눈물을 그렁이던
그 치기 어린 시절에 모두 끝났다

그러므로 나는
그러므로 우리는

몇 초의 여생으로 행복을 읊을 수 있는가?
홀로 떠나는 긴 여정에는 그만한 가치가 있는가?

어찌됐든,
결국에

암전하는 시야 너머에는
여전히 내가 가장 사랑하는 것들뿐이었다

붕괴

몇 밤이 지나도 결코 잊히지 않는 사랑이 있다

나의 사랑은 비열이 극도로 작아 왔기에
이번에도 성할 줄로만 알았다

뱉을 수 없는 사탕이 녹아가는 것을
전전긍긍해하기만 하던 유년은
이미 구시대적 일화 중 하나라 여겼지만

여전히 덧대어지는 시간의 벨벳을 감내할 여력
같은 건 없다

드리우는 빛이 기하급수적으로 감소할 때에
다시금 백색 도피를 하자
발배된 피서지에 감회의 족적을 남기며

REQUIEM

영구한 극단적 적멸에 기반한 저는 섭생법이 실타
시의 결말을 압니다 부단하게 박동하던 핏덩이가
심연 속에 잠긴다면 말이에요

[1]노르웨이의 통속 소설의 아르네를 알고 계시나요
필멸하지 않으며 이상의 잣대를 항상 발치 너머
에 두던 그 젊은이를요

[2]저의 생전의 조행은 필히 경하여 알코올과 함께
타인의 목울대로 잘게 씹히다 넘어갈 것입니다

[3]소쇄와 다비를 마치고 낮게 깔리는 단촐한 레퀴엠
에 눈물을 보일 이들은 아무도 없습니다 닳아 버
린 구두의 뒷굽으로 박자를 맞추거나 구적으로
간간이 화음을 더하는 이들뿐입니다

洛花

나의 청춘은 꽃답게 죽는다 *

이는 미처 개화치 못하고 봉오리째 낙하한 사랑들과 손끝에서 묻어나는 미련과 애오라지 파악했던 심해의 유속 같은 것. 별자리 한복판에 유기된 사랑은 처연함을 자처하며 결국 죽고 또 죽는다.

나의 열여섯은 불온한 족적과 육체 상 몇 개의 흠집, 그리고 잿빛의 첫사랑과 저어할 틈도 없이 궤산하는 모든 분별들과 목울대에서 가라앉는 형태 불분명의 것들을 포함한다.

부질없음의 속뜻을 이해하고 우리는 더 이상 활자에 타인을 담지 않기로 했다. 그것이야말로 정말 부질없는 것이었으므로.

손끝에서 얌전히 타는 순간의 푸른색의 시간은 서로가 서로에게 불필요한 잔여물에 불과하다는 것을 암시하고 있었다. 우리 모두 열의 끄트머리에 머물러 있는 사람으로서 십자가에 매달리는 것은 당치 않다. 청춘은 허공에 투신해 낙사했지만 유혈이 매달린 눈으로 또다시 웃음을 내비칠 것이다.

기별도 없이 왔다가 죽어 버린 사랑에 초연하지 못할 이유는 없다. 삼 년 전 숨이 붙어 있던 청춘이 깨달은 것은 그것뿐이다.

Re:

모래는 파도를 제 위에
매어 두고 싶었던 때가 있었다

이것을 치기 어린 애증으로 명할 수 있는가

파도와 모래는 각자의 삶을 산다
모래는 저를 훑고 지나가 밀려갔다가
되돌아오는 파도를 비가역적으로 열망했다
그 자유로움은 저가 매어두면 소실되는 것이기에

모래는 그 파도를 제 위에
매어두고 싶었던 때도 있었지
하며 가만히 되뇌인다

필멸하는 불멸

그 무엇으로도 치환할 수 없는 사랑을
감히 우리 가슴에 묻고

비루한 황혼녘에 그 낭만을 덧댄 뒤
남겨지며 사라지는 발자국들을 보고
파아랬던 도화지가 물드는 시간 아래에서
그 어떤 너울에도 우리는 초연합시다

거품 덩어리가 우리를 모래 알갱이로 만들어도
불변이라 칭해진 그 감정을 잊지 맙시다

필멸의 피사체라 폄하당하며
우리의 진혼곡에 동조하는 이들이 없어도
너무 슬퍼하지는 맙시다

상실의 시대

회의감은 일종의 병폐였다

상한 폐장에 썩은 숨을 양껏 들이쉬고도
발 디딜 곳 없는 공허에 방랑하는 기분에

본인을 갉아먹다 지친 플라타너스 한 그루는
오늘도 단조로운 메타포의 물음표를 남긴다

가쁜 숨을 삼킨다

모호한 기시감으로 점철된 사랑의 모퉁이에서
홀로 웃풍을 맞으며 선 의구들과
끔찍하게 갈린 기로에서 우리는 시체 덩어리 위에
쌓여 간다

더운 숨을 내뱉는다

우리의 병폐는 과연 무엇인가

수취인 불명

체내 산소량이 부족해질 때까지 사랑을 언질했고
덕에 소금물을 게워내기도 했어

찔리기도 지독히 찔렸고
발발 떨던 손은 달력을 넘기기엔 무리겠지

나는 아직도 모든 것이 선명하던 그 계절에 있고
넌 목이 턱 막히는 그을음으로 남아 있어
이 발신을 본다면 나를 다시 찾아 줘

무저갱

이따금씩 부서져 갈라진 백색광에 눈이 아프다. 찔러 오는 감각이 생경해 속눈썹이 살갗에 파고들 만큼만 눈꺼풀을 덮어씌운다. 차가운 공허함에 염치도 없이 내려앉는 신도들의 음성을 음미하다 그저 유일한 절망을 위해 손을 꼭 모은다. 제발 그애가 죽게 해 주세요. 심연과 무저갱의 차이를 시작으로 달갑지도 않은 낡은 철학을 들먹이던 그 사람을 죽이고 그 애에게 기다림밖에 취할 수 없는 저를 함께 죽여 주세요.

파도를 저 위에 묶어 두고 싶어했던 사장沙場의 마음이 사랑이라는 두 음절로 치환될 수 있는 거라면 나는 이 감정을 사랑이라고 변명²할 것이고, 이 시간들이 시계라 불리우는 것이라면 나는 시계바늘을 부러트릴 테다. 구사할 수 없는 형용의 역설로 파랑을 읊은 그 애를 죽일 것이다.

넌 혹시 카프카식 이별에 대해 좀 알아?

쓰고 받아야 하는 몫에 필히 신사적이자고? 실조된 낭만의 도태, 우리는 그거면 충분한데도. 로맨티스트로 둔갑하는 것조차 짜가라 어색한 티가 팍팍 나잖아.

근본을 상실한 사람처럼 그 애는 맑게 웃는다. 설교보다 정확히 열네 배 지루했던 그 신념이 무너졌나 싶다가도 입꼬리 끝에 매달린 박애를 보면 그건 또 아닌 것 같았다.

바른 지 얼마 되지 않은 콘크리트의 잔향이 콧잔등에 거세게 맴돌고, 울렁이는 형색의 성모 마리아 동상이 있다. 속된 단어만 골라 뱉는 사람이 뭣 모른다는 낯을 하고 있었다. 천진한 어린애의 음성으로 배도한 활자들을 읊는다. 결국 실속도 없는 말을 끝맺고 미국산 글자들이 빼곡한 책을 덮고야 말았다.

新年

구식 아파트 복도에 새 도시가스 점검표가 붙었다
작년에 썼던 활자들이 겹쳐 흐려졌다

고작 이런 것들로 내 신년은 실감됐다

연말에 내린 눈은 아직도 발에 채였고
추위가 아닌 일말의 이유로 뺨에 홍조를 띄었다

조막만한 손으로 만들어진 눈사람은
단추눈 한쪽이 떨어져 있었고

거리의 행인들은 전혀 알지 못하는 이들에게
짤막한 인사를 주고받다 스쳐간다

모두들 새로운 시작이라고들 하지만
나는 날것의 궁금증을 품을 뿐이었다

그저 계단을 오르다 바닥을 모르는 창공으로
추락한 기분이었다

LUV

입꼬리 하나에 햇빛이 부서지는 소리가 들리고
눈짓 하나에 그 조각 모두를 내어 주는 것

맞잡은 손으로 심장이 옮겨가고
폐부로 들이키는 공기마다
여름 장미의 향이 돋아 있다는 것이

맞댄 뺨마다의 때이른 개화를,
맞이하는 봄마다 새로운 파도를 쓴다

나의 역사는 너와 함께 흐르고
당도하는 만연함에 다시금 미간을 좁힐 것

Ya'aburnee

끝내 이름을 붙이지 못한 감정들은 일렁이는 내적
수면에서 부유했다. 그것들이 일군 와류에 잠식되
는 듯한 기분을 뒤늦게 알아차리더라도 일말의 발
버둥을 칠 수 있는 여지 같은 것은 존재치 않는다.
모든 몰입은 다만 최소한의 예의로써, 일종의 추모
에 불과했다. 그 애의 이름을 딴 별자리를 그리진
못했으나, 이는 중세의 사조에나 걸맞는 것이었으
므로 모든 색을 삼킨 하늘에 손을 뻗다 관두었다.
여등 물러터진 활자가 쥔 목숨줄은 진작에 타개되
고도 남았다.

시시때때 변질되는 가벼운 것들에 목을 내놓는다
는 것은 일개 아류 소설을 읽는 것만큼 지루한 일
이었으니.

She

서리꽃은 숱하게 쌓인 시체 위에 피었고
나는 언제나 당신의 언어를
가슴에 고이 묻고 산다

유암한 구천에서도 나는 기어이 하양을 찾고
역치가 없는 슬픔에 옥죄이면서도
당신을 외치는 입모양만큼은 형형했다

리리시즘에 파묻힌 당신은
영속할 것 같던 미혹 중 스러졌다

사람들은 왜 당신을 문학이라 칭할까
수취인 불명의 메시지가 허공에 가만히 흩어졌다

인어 1

아가리를 잔뜩 벌린 격랑에 수몰했다
우리는

채도 높은 군청색으로 잔뜩 빛이 바랜 하늘을 고
매한 시선으로 꼼꼼히 훑던 네가 여름에 있었다.
허구한 날 굴곡진 수박의 검은 줄무늬를 손가락으
로 따라가다 지루해질 때쯤 나를 올려다보던 네가
그 푸른 여름에 있었다.

가끔 시선이 가볍게 포개어질 때, 나는 책으로 다
시 눈을 돌리며 유독 빛나는 구절들을 조용히 읊
었다. 그때는 죽음이 뭔지도 몰랐으면서 아무런 맥
락도 없이 죽고 싶다는 기분을 느꼈다는 소년의
이야기였을 것이다. 아니면 색색의 모래가 가득한
외딴 섬에 둘만 남겨진 사람들에 대한 이야기라든
지, 인간 실격의 한 부분(내가 그 애에게 자주 읽
어 주던 것이었다)이라든지 하는 것들 말이다.

그럴 때마다 그 애는 목이 메어 습기 찬 목소리로
단어들을 더하기도 했었는데, 나는 내가 할 수 있
는 최선으로 침묵을 지켰다.

이렇게 사는 게 싫지 않아? 냉장고만 윙윙대던 정적을 깨고 나는 무심하게 던지듯이 말했다. 그 애의 동공은 부엌에서 푸른 곰팡이들이 대부분 점령한 천장과, 미처 도배를 하지 못한 반대쪽 벽까지 순식간에 활주했다. 바다에 가고 싶지 않아? 인어가 있을지도 모르는데. 여름임에도 늘상 서늘했던 체온이 전해져 왔다.

도착한 바다에는 이미 해가 저물어 있었다. 모래사장이 반쯤 드러나 있는 적절한 때였고 사람의 발길도 몇 닿지 않았는지 발자국 하나 남지 않은 상태였다. 그 애의 말에 따라 뒤를 돌아보니 황토색 도화지에는 우리가 그려낸 그림뿐이었다. 이 침묵의 파훼가 무엇을 뜻하는지 나도 잘 알고 있었다. 우리는 점점 파도가 모래를 덮쳐오는 부근으로 향했다. 어쩌면 정말 네가 인어일지도 몰라. 물이 허리께까지 차올랐고 그 애는 여전히 장난스러웠다. 그래, 우리는 인어를 만나러 온 것뿐이었다. 나는 너와 같은 인간이라 너를 사랑했던 걸지도 몰라. 파도 소리에 묻힌 음성 너머로 바다는 우리를 삼켰다. 우리는 그 속에서 다만 침몰했다.

인어 2

함께 인어를 보러 갈래?

눅눅한 공기의 무게를 견디다 못해 꺼낸 말이었다

이는 맞잡은 손을 필두로
수면 아래로 끝없이 침잠되자는
일종의 낭만주의식 메타포의 일종이었다

한 피스 내어 놓은 음습한 액체의 군집들은
끝끝내 인간들을 삼키고 또 삼켜
세이렌의 음성으로 다른 이들을 불러올 것

이는 누구의 문제나 과실도 아니었으며
그 잘못은 여기까지 내몰린
썩어가는 청춘들을 방관한 그 모든 것들에게 있다

FL

세상에 이보다 찬란한 왜곡은 없다

심지뿐이 남지 않은 초를 들고서
차가운 불꽃을 피워 주길 기다린다거나

눈을 맞추다 겨우 고개를 돌려버리는 것을
나는 겨우 입술을 벌려 사랑이라고 발음한다

해소 불능의 울혈은 기식도 없는 기생을 일삼았고
역몽 속에서 우리는 쉼 없이 파랗다

극난한 짜맞춤과 소멸 하나 없는 감정의 명명
붉은 핏덩이가 끊임없이 박동한다

모든 것이 그대로였으면 하는 이 감정은
어떠한 충동과 매우 닮았다

이토록 찬란한 왜곡에 눈이 멀었음에도
멀리서도 한눈에 알아볼 수 있는 이가 있다는 걸
멍울을 삼킨 그날 처음 알았다

여름, 여름, 여름!

여름이라는 게 숨만 쉬어도 돌아오는데 끝물만 든다 하면 왜 이리 고깝게 구니 단층 건물 고장난 에어컨 밑에서 땀 뻘뻘 흘리며 그깟 여름 여름

본디 여름이란 가을 이파리들이 뻘겋게 물들고 열기가 명멸하여 그 채도가 옅어질 때에 겨우 소생하는 것 아니었니

그때 여름은 미련 한 점 없는 하늘에 짐짓 타들어가던 새벽을 곱씹다 뱉은 구름 덩어리들이 가득했잖아 그 갈변된 하늘은 끝끝내 죽었고 머리가 아프도록 퍼래서 이중적 나선 구조 안에서 파훼된 감정 어쩌고 말도 안 되는 소리만 늘어놓았던가

아마 그 여름은 단층 건물에서 땀이나 뻘뻘 흘리던 한 아이에 대한 연민 그 자체였을 텐데 말이야

Nostalgia

당신의 육신을 아무도 모르는 곳에 묻고
당신이 사랑하는 종달새가 되는 꿈을 꾸었습니다

영생치 않음을 반문하고
가장 죽은 이들의 심장에 귀를 기울였습니다

숨진 지 얼마 안 된 이의 냉랭한 온기를 느끼다
심연에 치닫는 창조주의 비애에 눈물 흘렸습니다

여기, 당신이 가장 사랑하는 종달새가 되는 꿈을
꾸었던 사람이 있습니다
당신을 가장 사랑하는 이가 여기 있습니다

We were Summer

태양의 열기로 목울대가 턱턱 막히던
아무 여름의 아무 날

가타부타 어떠한 덧붙임도 없이
종래의 것과 다른 여름을 기약했다

이번 여름에는 틀림없이 눈이 내릴 거야
우리는 한국의 여름에 눈사람을 만든
최초의 사람이 되고 말 테지

신보다 더 믿었던 산타가 굴뚝을 타고
답답한 공기가 마저 가라앉은 새벽이 되면
그 눅눅함에 마저 익사하는 꿈을 꾸었다

이르게 낙명한 것들을 동정할 필요는 없어
그게 네 흑색에 일조하는 단초가 된다면 더더욱

녹아 버린 눈이라든지
저문 사랑이라든지 하는 것들 말야

그래 우린 낭만이 참 짙지
누가 여름에 눈사람을 만들 생각을 하겠어

필멸하는 것들의 아름다움을 좇다가도
녹아가는 눈사람을 안고 끝없이 추락했다

이 관성 끝에는 네가 있을까
눈사람을 만들 수 있는 여름이 다시 올까?

그렇게 내뱉은 말은 적막한 공기를 갈랐고
둔탁한 충돌음이 귀에 닿지도 못했던 것 같다

그래
우리는 저들을 두고
다음 여름으로 가자

친애

체내 산소량이 부족해질 때까지 사랑을 언질하며 찔리기도 지독히 찔렸고 떨리는 손으로는 그 흔한 달력 한 장을 넘기지도 못했다. 나는 아직도 네가 선명하던 그 계절에 머물러 있고 너는 내 폐부 언저리를 단단히 채우는 그을음으로 남아 있다. 질 낮은 종이에 잉크를 찍어내며 그 애 이름 석 자에 궤하를 구태여 덧붙인다.

진하게도 높푸른 창공의 채도를 깡그리 씹어삼켜 성체에 이른 그 애는 무채색의 범위에는 어떠한 부분도 존재하지 않았다. 아직도 뇌리에 선명히 박혀 있는 그 이채를 언제쯤 마주칠 수 있을지는 미성년의 나로서는 알 도리가 없었다.

불온전의 미학을 찾다 불온전으로써 도리를 갖추지 못해 침전물의 집합체를 고루 남기며 앞서나가는 그 애를 그러안지 못했다.

알 수 없는 무언가를 동반해 사납게 굴던 격랑에도 괘념치 않으며 그 애가 이 세상에서 조락된다면 대용이 되기로 마음먹었다. 세상 철학에 자조적으로 굴던 그 애는 나무 바늘 두 개를 어떻게 얽고 섞어서 핏빛 뜨개질을 하곤 했다. 시선은 짜맞취지는 실에 집중했고 귀로는 프랑스 작가의 저著를 들었으며 입으로는 비뚤어진 청춘에 기꺼이 입술을 덧대겠다고 노래했다.

조잘대는 햇빛이 뜨락에 부딪혀 부서진다. 칠이 다 벗겨진 마루는 금방이라도 무너질 것처럼 위태롭다. 그 애는 거기 앉아 작열하는 태양을 담은 뜨개질을 한다. 몸을 기울일 때마다 고막을 관통하는 마찰음이 그저 사랑스러웠다.

그때의 차가운 설움이 남아 있다. 무딘 파편들은 결국 눈물로 나리다 뺨을 할퀸다. 되도 않는 로맨티시즘을 외치다 상공에 나를 결코 묻는다. 청춘처럼 남은 잔혼은 추락하며 느물게 희석된다. 그 미약 속에 서 있던 너는 고저 없는 목소리로 과분한 다정을 뱉는다. 결국 나는 애오라지 동시대의 공존을 바라며 핏빛 장갑을 낀다. 우리는 불온전하면서도 불온전한 것들을 사랑할 수밖에 없는 것이다.

청춘 상륙

기별도 없던 청춘 상륙의 발발
살가죽으로 체감되는 한 계절의 몰락도
사실 우리는 이미 시체일 수도 있다는 말도

이제는 굳이 회상해야만 노현되는 것으로
부질없음에 수렴한다

서리 잔뜩 낀 열감 속에 살았으며
유동적인 사랑에 휩쓸리기만 하는 동안에
파랑의 채도는 수치화 불가능 정도까지 올라가곤
했다

그럼에도 황혼녘에 물들기 전 하늘 아래

우리를 주연으로 한 적나라한 필름은
언제나 색이 바래 있다

침잠

이제는 네가 그리울 때마다 어떻게 해야 하는지
잘 모르겠다.

조울의 최대 변위가 커져 공상에 얼굴을 비칠 때
마다 나는 디알을 물도 없이 그저 씹어 삼켰다. 우
리의 언어는 모일수록 불행한 법이라 말하며 수제
맥주 냄새가 옅게 나는 머리카락이 바람에 흩어졌
다. 그건 삼류 농담 같지도 않아 감히 소살하지도
않았다. 그 애의 눈에서 흐르는 눈물이 내 뺨에 맺
혀 소금이 되던 그날의 병열과 차분하지 않던 공
기를 기억한다. 불의를 합리화하던 이들과 박애 몰
살에 관한 기입마저도.

폐부에 오는 때 이른 장마는 달갑지 않고 격랑의
간헐적 외침을 담지 못하는 것은 멍울이 될까 봐
서 해안가 한적한 모래사장에 초석을 깐다. 치사량
을 상회하는 양의 낭만을 후두가 헐도록 털어 넣
으면 죽어가는 순간마저 청춘이 아닌 순식이 없을
테니.

Aeternum

흘러내리는 눈물에도 치사량이 있다면
너는 내 목숨의 오 할을 가져가고
기어이 나의 사인死因이 될 것이다

오십은 너였고
오십은 불명이었다

하루에도 세 번은 족히 죽었고
셀 수 없는 회의감으로 메워진 삶을 살았다

그 와중에도
우리는 치기 어린 유년의 날들을 훑고서

바다처럼 흘러내리는 여생을 지켜보다
파랑 위를 그저 부유했다

雪

당신은 끝끝내 공허가 되었고
찰나의 영원이 되어 스러졌다
세상에서 가장 아름다운 휘파에
나는 당신의 달 뜬 숨이 되기로 했다

화이트카펫

초봄이 철인 줄 알았던 토끼풀은
유월이 다 되어서야 완연하게 만개했다

하잘것없는 그 백색 비단에
우리의 전부인 한철 낭만을 새긴 너는

때때로 고답적으로
때때로 염세적으로 굴었다

우리는 일순간의 미소로 하루를 살고
벅참으로 마지못해 또 하루를 살았다

무언가의 증표가 필요하다면
십중팔구 하찮은 토끼풀 반지 내지는 팔찌였다

그 작은 것을 엮어내는 마음을 헤아려 보다
달궈지는 초여름의 무언가에 전부 녹아내렸다

내가 할 수 있었던 건
토끼풀이나 새된 금속보다도 못한
매일의 도려낸 심장의 상납뿐이었을 텐데

그렇게 말하던 나의 표정을 곱씹다
결국 눈을 감았다

토끼풀의 생명력이 강하다고 했던가
답을 찾을 수 없던 질문을 되짚던 와중
초여름에도 푸르던 것의 웃음소리가 들렸다

굴곡에 대하여

나의 여명은 어디에 있으며
어디로 흐르는가

불확의 추상을 정의할 수 있는가
무형의 것을 어찌 단정할 수 있는가

찌는 한낮의 운슬은 햇빛을 잔뜩 재어 놓고
그 모든 파편들은 공허에서 고요히 흩어진다

너에게 맡겨 둔 내 심장의 절반은
주름진 울결과 함께 엮어 희석된 청춘에 바쳤다

이 시기에 남길 수 있었던 것은
얇은 취향 얇은 결심, 길고 짙은 좋지 않은 것들과
전염이라고들 부르는 악습뿐이었다

사실 그것은 전염이 아니라
곱지 않게 태어난 우리의 불찰임과 동시에
씻을 수 없는 하나의 병명이었을 텐데

붉은 여름

조각이 난 염하의 햇빛은 철을 맞은 싸리나무의
초록에 머무르다 도망쳤다 입버릇처럼 도태와 시
작을 불시에 갈구하는 데에 지친 우리들은 수면
아래 기식을 희석했다 떨어지는 온도계의 수은을
펑계로 손을 잡기엔 어려운 계절에 정체된 지금

쏟아지는 박애 속 청과 춘의 합일을 믿니?

애상

매캐한 사랑의 정의는 유일무이하게도 너였을 것
이다. 쌍으로 똑같은 목걸이를 목에 걸고 우리는
아무것도 모르는 철부지들 주제에 분에 차고 넘치
는 행복을 쥐었던 것 같다. 결국엔 한 계절이 채
다시 돌아오기도 전에 옅어질 사람과 사랑과 관계
가 뭐라고.

난 여전히 인간 실격을 읽어
난 여전히 산수와 수리의 어려움에 허덕이며
난 여전히 사랑을 멀리해

계절의 변화가 주는 미학이 거북하면서도 아름다
울 수밖에 없는 애증의 관계인 것은 끊을 수 없는
윤회의 순리이기 때문일까. 진 봄은 다시 피고 간
꽃은 다시 올 것을 알고 있잖아. 사랑도 윤회의 성
질이 다분한 감정일까. 연어의 귀소 본능이 사랑이
라는 얄팍한 단어에 깃들길 바라며, 세기말의 겨울
에서 보냄.

추락할 용기

하지에 기생하는 계절의 쉼 없는 도래

깊이를 알 수 없는 청명과
높이를 알 수 없는 심해마저
아름다움으로 치부하던 시절

유서가 될 운명에 놓인 감정들의 부유
사활을 건 한겨울의 낭만에 매달린 이들

진공 속에서도 호흡하던 자들과
도화[1]를 가르고 환향하는 낙백한 무언가들
그 속에는 침잠하는 우리가 있다

몇 번 흔들린 것으로 아스라질
헐거운 사랑은 하지 않기로 했잖니
너는 기억도 나지 않는지 멋쩍게 웃었다

하해와 같은 작열과 유신이
나의 가슴에 역력히 새겨져 있는데도…

遠洋

권태로움에 잠식되어 생채기 가득 머금은 동공으로 가만히 바다를 바라본다. 눈길을 잡아끄는 무엇 하나 찾기 힘든 이 불모지에서 피어오른 불길은 멋모르고 흐르는 거대한 살인자 앞에서 낭만을 취할 명분을 충분하게 한다.

일말의 흔적도 남기지 않고 검은 물결을 가만히 응시한다. 이건 비가역적인 딜레마다. 상념 한 폭을 찢고 들어온 순간부터 책장들은 청춘으로 물들다가 흘러내린다. 염수가 양잿물이 되는 줄도 모르고 하잘것없는 사랑은 기어이 후두를 꽉 메운다.

그 애 이름 석 자로 청춘을 겸명할 수 있는 날들이 있었다. 매일 손끝에서 박동하는 조그마한 심장을 느낄 수 있었고, 깊고 공허한 눈동자는 매번 그 작은 심장마저도 멎게 했다. 찬란한 죽음을 바라는 그 애에게 광활한 바다는 잔잔한 발판일 뿐이었다.

낭만을 바란 적은 추호도 없다만 우리는 검디 검은 하늘에 수놓아 박혀 있는 별들을 이어 그림을 그렸다. 하찮은 것들에 의미를 남겨 가며 서월이 비추는 향기로운 빛 한 조각에 재갈을 물린 언어를 깃들이면 그것이 우리 낭만이었다.

어느 한 곳을 기준으로 넘실대는 방대한 액체 군집들이 띠는 색깔이 미묘하게 달라졌다. 조금 더 물살을 가르고 나아가면 우리가 잔류하던 세상과는 다른 대륙이 드러날 것만 같은 위태로움, 예측 불가능의 울렁임을 사랑했다.

그날도 여전히 음습한 햇빛은 물결을 조각냈고 구름은 저들 무리끼리 하늘을 왱왱 맴돌았다. 월광에 채여 잠에 깨었을 때도, 다시 느물게 눈을 감을 때에도 그 애는 그 자리 그대로 머물러 있었는데. 밤새 폭풍이랄 것도 아가리를 잔뜩 벌린 격랑이랄 것도 없었다. 그 작은 배에 그 유약한 사람 하나를 찾을 수 없었다.

권태로움에 잠식되어 향수 잔뜩 머금은 동공으로 가만히 바다를 바라본다. 해는 이미 수평선을 넘은 지 오래였고 다만 검은 하늘을 대변하는 바다는 결코 검을 뿐이다. 여전히 부재라는 것은 모세혈관을 모조리 찢어 놓을 것처럼 굵었고 불확실성은 나에게 익숙한 것이라는 존재 자체의 의미를 상실시켰다. 낭만의 소멸은 한순간이었고 우리는 다만 우리를 잃은 것뿐이었다. 정말 그뿐이다.

암순응

우리에겐
가르쳐 주지 않아도 할 수 있는 것들이 있다

가르침 없이 사랑을 배웠고
사계의 흐름에 녹아드는 법과
절망에 좌절치 않는 법

그리고 청춘이 깃든 바다에 기꺼이 내맡긴
전부를 포기하는 법을 배웠다

아무것도 기대하지 않게 된 지는 오래지만
나에게는 여전히 지나간 것에 대한 미련과
인간적이라고 칭해지는 후회가 잔존한다

산다기보다는 견디고 버티는 날들을
지루해하지 않는 법을 배운 나는
무의미한 괘력을 기어이 태웠다

하지만
비가역적으로

어쩌면
영원히

죽은 것들을 사랑하지 않는 법은
평생을 배워도 모를 것이다

세기말 회고록

선생님

저는 선생님을 동경해 왔습니다
선생님을 처음으로 마주했던
철없는 열여덟의 늦가을부터 지금까지요

누구는 열아홉의 나이에 업적을 남긴다지만
제가 가진 것은 죄다 불안정한 것들이라
추리고 추려내니 당신밖에 남지 않더군요

당신을 만나고부터
가장 아름다운 형태의 사랑은
필히 동경일 것이라 믿습니다

저의 열아홉은 불안한 족적과
얇고 연한 취향들,
성한 곳 하나 없이 생채기 가득한 심장과
여전히 당신을 바라보던 날들뿐이었지만

셀 수 없는 날들 사이로
당신을 사랑할 수 있었음에
그저 무한한 감사를 표합니다

Pluto

카이퍼 벨트에 떠도는 몰락한 소행성

갈색빛의 석회로 겨우 빚어낸 형상과
의탁할 적당한 구심도 없는 불안정함
너는 보잘것없는 궤도를 그렇게 돌았다

닿을 수 없는 흔적을 그리며
너에게 날려 보낸 모스부호는
언제나 134340

쇠락의 시간을 물고 날아간 수많은 연서에는
지구에서의 우리 기억이 담겨 있었다

해사하게 겨울을 머금은 미소나
결코 잊을 수 없던 구절의 음성 같은 것들 말이다

온 우주를 파랗게 물들인 너를 담을 수 없는 것도
어찌 보면 당연한 것이었다

달이 뻗은 팔로 지구를 그러안을 수 없으며
명왕성이 결코 태양계를 품을 수 없는 것처럼

백야

너는 가장 저문 하늘에 성신을 뿌렸고
손가락으로 성좌를 그렸다

매양 어긋나는 시선을 구태여 맞추지 않았고
난 그저 가장 아름다운 일모의 너를 담았다

흑색 들판에 빼곡히 박힌 빛나는 꽃무리들은
진공의 영원에서 한없이 녹슬어만 갔다

그들은 맞잡은 손이 산화되어 끝내 하나가 된
우리의 모습과 별반 다를 바가 없었다

어째서 사랑하여 영원할 것만 같던 것들은
꿋꿋이 은연중에 스러지고야 마는지…

칠월 하늘에 핀 은하수의 별들도
유년 시절 서로의 전부이던 벗과
칠한 지 얼마 되지 않은 외벽의 페인트까지도

아무리 인생의 편린이었지만
순간들에 셔터를 눌러 주던 것들이 무너져도
뒤를 돌아볼 여력도 없이 나아가야 한다는 게

맞잡은 손의 건너편으로 어둠을 뿌렸다
작은 실지가 사랑을 죽이는 것을
더 이상 관조하고 싶지 않기에

금이 간 가장 저문 성두에 머무는 빛의 테두리를
가만히 따라 그렸다

때를 모르고 작열하는 태양에
눈에 백색 벨벳이 끼고
한겨울 열사병이 도질 것만 같았다

아른거리는 열감에
감히 눈을 뜰 생각조차 할 수 없었다

극야

김 잔뜩 서린 겨울에 태어난 너는
고토보다 더 사랑해 마지 않던
여름의 한 줌 햇살이 되었다

겨울이라는 계절은 꽤나 단순하다

예컨대 여름과 겨울의 전혀 상이한 어원을
또 허무에 수렴하는 공허를 좇다
기어이 낙하한 누군가의 영루라든지

하루를 채 살아내지 못하고 죽은 명맥과
아무 말도 잇지 못한 버려진 밤들이 모여
끝내 만들어진 은하수나
향기 없는 열꽃에 내려앉은 태엽 같은 것

김 잔뜩 서린 겨울에 태어난 너는
녹슨 추문을 업고서 병든 계절을 건넜다

원론적으로 유서가 될 활자들을 붙잡고서
만면이 구충이 되길 바라는 사람처럼
쉴 새 없이 본인의 경부를 졸랐다

경향성 하나 없는 사랑의 궤적에
나는 그만 가벼이 웃어 버렸다
어째서 사랑이 가장 아름다운 감정으로 치부되는
것인지…

感情溺死

맹목적으로 사랑하게 되는 계절이 있다

한평생을 여름에 박제된 채로
여하의 봄도 맞이하지 못하겠지만

만인이 사랑하는 계절 따위는
결코 되지 않겠노라 말하던
그 붉은 잎사귀와

삼십을 웃도는 날씨에도
그저 맑게 웃던 낯

겹겹이 싸인 나이테의 골목 사이로
살짝 드리우는 그림자까지
모두 너였다

사시사철 찌는듯한 여름 속에 살았고
수많은 어폐를 달고 자라난 파랑들을
오늘도 지켜보았다

나의 무언가는 그 안에서 사랑을 느꼈고

너로 귀결되는 여름을,
눈이 아프게 파랗던 그해 여름을

나는 또다시 돌아보았다

9'o clock

부담을 지우려던 것이 아니라던 그 언어의 군집은
덩어리째 목에 걸려 넘어가질 않았고
끝끝내 당신을 죽이고 말 테지

당신은 우직한 사람이어야만 했고
후두가 녹아 흐를 때까지 침묵해야 했다

의도와 진실은 모두 휘발하고
가라앉은 침전물만이 당신을 죽이더군요

한겨울 외풍에 나부끼던 그 묘목에게
당신의 이름을 붙여 주었어요

의탁하다 못해 자멸한 자아와 주관은
지새우는 새벽마다 공기 중에서 휘청였다

천장에 기생하는 한낱 벽지마저도
의도를 가지고서 저기에 붙어 있는데

당신에게는 그런 하잘것없는 것도 없었고
그저 실수라는 이름을 걸고 평생을 살았다

그렇게 살기보단 버텨내는 날들의 연속이었지만
그럼에도 당신은 이 바닥에 잔존했다

의무감이 깃들어 비가역적으로 내쉬는 날숨과
정체되는 유속에 고인 폐습까지 기꺼이 떠안고서
아무런 대가도 없이 그렇게 살았다

나는 얕게 떨리는 손으로 당신의 어깨를 잡고서
끝나지 않을 겨울 속에 함께 녹아들자 말했다

백색 투신

함께 산다는 것보다
함께 목숨을 내던지는 편이 더 아름답지 않니
마지막 숨마저 너와 내쉬다 죽는 거야

공짜로 쥐어 줄 정도로 허름한
흑색 해안이 담긴 테이프를 종일 돌려 보다가
유약한 것들이 기꺼이 빠져 죽는 상상을 했다

무엇에 닿으려 열심이었는지 모르는 날들과
무엇을 해야 닿을지 몰라 또 울어야 했던 날들이
파도에 지독히 겹쳐 밀려온다

한없이 침식하는 기분에 감기지 않는 눈을
구태여 다시 감았다

Colored Dream

이제 와 뒤돌아보니
여름은 얼마나 찬란한 시절이었는지

우리가 박제된 지난한 여름은
가을과 겨울을 지나
결코 봄이 될 수 없기에 아름다운 것이며

모든 것은 끝이 있기에
사랑할 가치가 있는 거라고

물기가 가득한 목소리로 겨우 읊던
너무나도 유약하고 씁쓸한 시절이 스친다

우리는 다른 곳에서도 같은 꿈을 꾸며
그토록 그리운 시절에서 결국 다시 만날 것이다

묵음의 회고록

강세를 두지 않은 단어들의 병치와
끔찍하게도 단조로운 어조로
좌절된 노스탤지어를 노래했다

유하지 않은 구석이 없던 그 애는
소위 퍼퓸이라는 싸구려 이름으로 불리던
지독한 회향병의 굴레에 갇혀
청춘이랄 것도 없었지만 아무튼 그것을 태웠다

은유로 온전히 이해하지 못할 담화를 나누다
문득 구슬픈 기분에 입을 꾹 닫아 버린 것은…

중학생 티를 벗지 못한 것처럼
우리 둘 다 괜히 냉소적인 척
설익은 십구의 문법을 입에 올렸다

밖으로 튀어나오는 활자의 발목을 급히 잡았고
매번 우스꽝스러운 농처럼 말하는 것은
그 시절의 그리움을 가리는 무언의 철칙이 되었다

Oxygen Poisoning

초추 하늘의 과분한 채도 밑에서
내가 지긋이 질식하는 동안에도

다가가면 잦아드는 살가운 풀벌레 소리들과
느물게 파닥이는 협접의 시익 또한 여전했다

여기저기에 묻은 여름의 잔향은
멀지 않은 곳으로부터의 회향병을 일으켰다

그토록 사랑했던 온도, 습도, 사랑과 사람, 꺼질 줄
모르고 매양 작열하는 해와
삼추를 외면하며 느물게 넘어가는 괘력마저도…

사무치게 멍드는 기식에 나를 가을 하늘에 묻었다
여하의 의미도 없는 시간들의 연속이었지만

너는 나에게 나름 괜찮은 죽음이었다며 세기말
최후의 음성을 건넸다

호흡하는 법에 대하여

호흡하는 법을 잊었다

언제 숨을 쉬어 봤냐는 듯이 폐부가 저려 왔다

기도에서 싹을 틔운 꽃들을 토했다
개중에 유칼립투스 몇 송이가 가쁜 숨을 뱉었다

몇 년은 지낼 수 있을 줄 알았던 꽃들이
눈물과 함께 화엽을 내려뜨렸다

그것들은 어떠한 불꽃에도 타지 않았는데,
단지 숨이 막혀 온다는 이유로 추락을 자처했다

이것은 진정으로 수지타산에 맞는 일인가
모든 외압을 견뎌내며 겨울을 맞으면서도
스스로 만들어 낸 재해에의 수몰을 자행自行한다
는 것이?

깊게 생각할 것도 없이
중심에서부터 문드러지는 생명체는 하잘것없다

지독한 회의와 그리웠던 시절로의 망명의 이유를
기도를 막아 오는 흙 사이로 뚫린 구멍 같은,

결코 타자에 의한 것뿐들이라는 게
다시금 존재 의의에 대한 의문으로 이끌었다

썩은 심장으로 평생을 살아갈 나 또한
지극히 유약하고도 보잘것없는 것이었으니

어쩌면 당연하다

혈관에 피 대신 뱅글뱅글 도는 저급한 상념들과
턱끝까지 차오른 감정에 굴복할 수밖에 없는 것도,
허우대만 멀쩡한 이를 사랑할 수 없는 것도

호흡하는 법을 잊었다

녹슨 폐부로 들이키는 공기마다 내 목을 조르고
맹목적으로 바라던 유년의 날들이 눈앞에 스쳤다

태엽 인간

인사계 진화 실패의 결과물의 명칭은 인간이다. 이
것이 나태의 대가 여부인지는 불확이지만 그들의
C2에는 고철 덩어리가 딸려왔다. 어떠한 집도로도
도려낼 수 없으며 여하한 방법으로도 제거할 수
없었다. 태엽을 연상시키는 면모에 인식적 호기심
으로 그것을 우측으로 돌려 본 이들은 뜨거운 살
덩이에서 풍기는 괴이한 쇳소리에 귀를 틀어막았
다. 부패한 호기豪氣를 토할 곳이 절무했던 군중들
은 뜻하지 못한 융합에 더운 입술을 벌리고 곱송
그리며 청적에 적셔진 주효료와 그 가십을 수없이
질겅댔다. 여전히 그들의 씨투에 박힌 쇳덩이가 왼
편으로 기울고 있는 채로.

여느 픽션에서나 시리도록 푸른 창공을 묘사한 뒤
역운의 활자가 음습하게 새겨져 있기 마련이었다.
곰팡이가 세계 지도를 짜 놓은 천장을 똑바로 바
라보며 잠들지 못 한 지 꼭 세 달이 되는 날이었
다. 쏠리는 무게 탓에 정면을 직시하려면 터거리를
바짝 당겨야만 했던 때로부터 세 달이기도 했다.
그날도 어김없이 부실한 커텐 사이로 들어오는 일
광에 눈을 떴고 닳아빠진 인간 하나는 역시나 창
호를 열지도 않고 권연을 태우며 막 깨어난 나와
눈을 맞닥뜨리며 속없이 웃었다.

다름이 없이 구식 텔레비전을 켜자 보이는 것은 수만 구의 사해와 반짝 떴다 잊힌 태엽에 관한 것이었다. 태엽을 오른편으로 돌리는 어떠한 동작도 없었던 모든 이들이 한꺼번에 뻗었다. 나나 J나 정서가 필히 줄줄 새는 인간들이라—일광 대신에 아스팔트 가루를 마시고 즉일의 고해를 흡출하며 머무느라—우리는 근원적으로 우리만 살아 있으면 그만이었다.

그날부터 J는 천일이 지평선 위로 부유하자마자 당인의 것을 나에게 엎질렀다. 매양 신조晨朝가 되는 그때에 연한 살에서 쇳덩이가 마찰하는 소리는 괴리감의 극치로 다가왔다. 검판을 닫은 채 명줄이 늘어나는 마찰음에 집중했다. 몸을 일으켜 당신 2번 경추에 매달린 발조를 돌려 드릴까 묻노라면 J는 항시 허공에서 고개를 뒤섞었다. 당하의 나는 몽매하기 짝이 없어 경애의 찬란한 계설에 대해 사뭇 무지했기에 그것을 단순 성년의 치기로 여기다 말았을 뿐이다.

몇 주 간을 일방적 편면 행위로 그의 명맥을 축내면서도 아무런 괘념도 없었다. J가 장판지에 삭아 앉을 때마다 둔탁한 소리가 들렸다. 심장의 핏빛 유실과 박동을 거둔 핏덩어리 탓에, 다만 J도 길거리에서 심심찮게 발에 채이는 즐비한 시체 중 한 구가 될 거라는 것을 자각했다. 아무런 감흥이 없었다. 체감 연도 반세기를 살며 치생만을 좇았으니.

「너는 가끔 네 몫의 눈물을 모르는 것처럼 굴어」
「등 맞추고 잔 지가 얼마인데 그걸 이제야 아셨나봐요」
「나는 네 개같은 뒤통수만 보는데」
「태엽 돌리기 바쁘니 그러시겠죠」

더 이어지는 이성적 음성의 병치는 없었다. 그 밤에는 욕지거리를 씹는, 그리고 물기에 푹 젖은 소리가 들렸다. J는 내 몫의 눈물을 마저 떨군 듯했다. 비루한 침통에도 나는 여전히 괜찮았다.

결국 그는 탈가 내지 가출을 범했다. 끝도 없이 상실과 점철된 감정과 눌러붙은 염화 나트륨이 비뚤어진 애정인 성싶었다. 나는 딱 J의 몫만큼의 눈물을 쏟았다. 나는 내 몫의 눈물에 무지한 사람이어야 했으니.

사람의 형태로 빚어진 고철의 사체들이 쏟아져 나왔다. 그들은 대개 독거노인, 소년 소녀 가장, 동계 한창때의 일인 가구들 그리고 반지하 거주자이자 나의 동거인 J 등등. 맨 후자의 사람은 상념 한 폭을 일말의 허여도 없이 찢고 들어온다. 범법의 내침에 대해 논하기도 전에 구일에 실존했던 낭만을 읊고 나서야 주배에 내리쬐는 박애가 눈에 들어온다. 후두에 걸려 끝맺음은 물론 말머리도 뱉지 못한 뒤틀린 잠열들은⋯

괜찮다
기생하는 태엽과
태엽이 된 인간에 대한
일개 서술일 뿐이다

나비 인간

— 최지민

일컫기를 신인류의 출범이었다. 특정 세대로부터 돌연 돋아난 목덜미의 고철을 두고 학계는 궁극적 진화라거나 절종의 묵시라고들 했다. 소싯적 글발 깨나 날렸던 치들 사이에서도 초 단위로 견해가 뒤집혔고, 누군들 난데없이 궤도를 이탈하는 변이 의 의중을 알 바 없었다. 저명한 외신에 따르면 사 체를 취득하여 검시한 바 소재는 Fe, 즉, 메―탈임 이 적확했다. 일신 외부로 돌출되어 있되 접합부를 제외한 괴철로써야 실질적인 감각이 불가했으므로 신체 기관으로의 간주 가능성이라는 별 하잘것없 는 논제로 날마다 권위자 간 담론의 장의 열렸으 며 일가견 없는 나부랭이들이야 쇳덩이에 색료를 덧입히네, 염화[3]를 의뢰하네 하며 귀한 일월을 흘 렸다.

논의 끝에 합의된 명칭은 ⟨spiral spring⟩으로 태 엽을 상기시킨다는 이유가 따라왔다. 저물어가는 세계의 마지막 낭만주의자로서 그런 식의 작명에 동조할 수야 없었다. 식일 생각하여 최초로 마주하 는 희멀건 덜미로 파고든 메탈을 둘러보았다. 곧게 뚫고 나오는 일직선 끝에 원형으로 형성되어 중앙 이 훤한 조각 두 개가 들러붙어 있는 식이었다.

한참을 그렇게 보고 있자면 화축에 사근이 내려앉은 접아蝶䖩인 양 여겨지기도 했을 뿐더러 정체 모를 파철 따위에 네 뒷목에 고개 묻을 권리를 빼앗기는 것보다야 단향에 끌린 나비 한 마리 힐항을 미루고 있구나 결론짓는 쪽이 덜 고까웠으므로 일개 발조를 섣불리 나비라 지칭하기로 마음먹었다.

불현듯 까풀이 들려 무료한 샐녘이면 동그마니 상체를 만 채로 C의 잠든 뒷목에 대고 나비야, 속살여 보기도 하고—유년기 잃었던 괭이의 애칭은 아무래도 나비였던가?—포유류 나비와 고철류 나비를 오가는 속에 나비보다 낡은 티브이는 멋대로 나비를 태엽이라 명하며 터무니없는 소견을 지껄여댔다. 그치들의 발견인즉슨 나비의 깃을 우로 기울여 명맥을 연장하고 그 대가로 행위자의 명을 정량 앗아간다는 것이었다.

시초는 치기였고, 지속은 오기였다. 당대 연인들의
新유행이란 각자의 잔명을 한 바퀴씩 교환하는 일
종의 의식이었고 C와 나는—일단은—愛로 묶인 관
계를 지속해 오던 차였다. 자전할 줄 모르는 C의
나비가 빙글 선회하면 뒤이어 나의 나비가 역항으
로 삐걱 공전하였다. 영원을 맹약하는 어느 식장과
달리 괴괴한 반지하에는 우로 돌 줄만 아는 나비
와 좌로 돌 줄만 아는 나비 한 쌍이 연일 둥글게
궤적을 그리며 비행하였다. 낭만은 차치하고 단 한
차례의 고해성사 없이도 한껏 숭고해질 수 있음을
위안 삼는 나날이었다.

날개가 돋는 꿈을 꿨다. 몽중 접아가 되어 황홀히
상천을 헤집고 낙원 위로 음유하다 종국에는 C의
그것에게 말을 붙였다. 내놓을 담화가 많았으나 시
간이 촉박했으므로 그저 너는 지금처럼 오른편으
로만 비행하라는 시답잖은 소리나 하고 말았다. 예
컨대 태몽이라는 어휘가 있으나 死몽 따위는 들어
본 적 없었다. 그러나 그 무렵에는 견두며 요부가
잘 돌지 않았다.

「넌 가끔 네 몫의 눈물을 모르는 것처럼 굴어」
「등 맞추고 잔 지가 얼마인데 그걸 이제야 아셨나 봐요」
「(아하하) 난 네 개같은 뒤통수만 보는데」
「태엽 돌리기 바쁘니 그러시겠죠」

다를 바 없는 대화였다. 대꾸하고 싶었지만 불시에 인후가 굳어 요지부동이었다. 그 밤에는 누선이 고장난 양 물이 줄줄 샜다. 나는 때가 다가오는 것을 충만히 느끼고 있었으므로 무상히 받아들였다. 인간의 신체를 구성하는 칠십 퍼센트는 H_2O라지만 나비도 그렇다는 법은 없었다. 게다가 그 작은 덩치에 어디에 나의 결핍을 욱여넣을 수 있겠는가. 따분하게 이르자면—최후의 진화가 다가오고 있었다. 뒷날 세 시 C의 해진 운동화를 끌러 신고 공터로 향했다. 이따금 C와 별을 보던 낭만의 착상지였다.

더는 의지대로 작동시킬 수 있는 기관이 없었으므로 여력을 짜내어 지성껏 모로 누웠다. 철은 태양보다 질량이 큰 항성의 핵융합 최종 단계에서 만들어지는 물질로, 같은 과정으로 생성되는 원소 중 가장 무겁다고 하였다. 그러나 세상의 지식은 나를 배신하기만 하는가? J는 발치부터 천천히 가벼워지고 있었다. 욱신대던 회목의 통각이 일시에 사라졌다. 포유류인 나비와 고철류인 나비를 생각하며 나는 그 사이의 어디쯤이 될 테다, 다짐을 했고 그러자 일전의 꿈결은 예지몽인 듯했다. 이제야 나는 진정 C의 나비와 소통할 기회를 얻게 되는 것이다. 그와 막역해진다면 C의 뒷목에 고개를 처박을 권리를 돌려받을 수 있을지도 모른다. 여기까지 생각이 이르자 문득 온몸이 나른하여 눈을 감았다.

아!
비로소 힐항할 적시였다

날개야 다시 돋아라
날자
날자
한 번만 더 날자꾸나
한 번만 더 날아 보자꾸나*

작가의 말

가장 먼저, 다사다난했던 1년 동안의 여정을 끝맺을 수 있음에 감사한다. 오래전부터 작가가 되기를 바랐고 그보다도 훨씬 전부터 글을 쓰기 시작했다. 곧 인생의 절반을 차지하게 될 글과 작문, 활자 같은 것들은 결코 삶에서 사라질 수 없을 것이다. 그런 의미에서 이 책은 10대의 마침표를 찍는 책인 것과 동시에 내가 열아홉에 남긴 자랑스러운 업적이 될 것이다. 이 책에는 열여섯 살 때부터의 글이 담겨 있으며, 마음에 들지 않는 것들도 당연히 있다. 하지만 그 불온전마저 사랑하겠다는 다짐으로 비춰졌으면 하는 바람이다. 가장 힘들었던 고교 3년을 보내며 어디에선가 나의 날들을 지탱해 준 사람들과 무너뜨린 사람들, 특히 마지막에 실린, 가장 사랑하는 글을 써 준 지민이에게 무한한 감사를 표한다. 또 이 책이 '온전하지 않기에 빛날 수 있었던 순간들은 누구에게나 있다.'는 한 문장을 잡고서 쓰여진 것처럼, 이 글을 읽는 모든 이들의 삶에도 이 한 문장이 깃들었으면 하는 마음이다.

2023년의 겨울에서,
<불온의 미학> 마침.